तू जीत के लिए बना

प्रतिनिधि रचनाएँ

तू जीत के लिए बना

वीरेन्द्र वत्स

वाणी प्रकाशन

प्रकाशन के उत्कृष्टतम 62 वर्ष

सजिल्द पहला संस्करण : 2025

vaniprakashan.com

वाणी प्रकाशन

4695, 21-ए, दरियागंज, नयी दिल्ली-110 002

फ़ोन : + 91 11 23273167, 23275710

शाखाएँ

अशोक राजपथ, पटना-800 004, बिहार

कॉफ़ी हाउस कैम्पस, महात्मा गांधी मार्ग, प्रयागराज-211 001, उत्तर प्रदेश

महात्मा गांधी अन्तरराष्ट्रीय हिन्दी विश्वविद्यालय, वर्धा-442 001, महाराष्ट्र

sales@vaniprakashan.in
vaniprakashan@gmail.com

Tu Jeet Ke Liye Bana
by Veerendra Vats

ISBN : 978-93-6944-088-7
Poetry/Ghazal

मूल्य : ₹ 295

जी.एस. ऑफ़सेट, दिल्ली-110 095 में मुद्रित

वाणी प्रकाशन का लोगो मक़बूल फ़िदा हुसैन की कूची से

भूमिका

कविता प्रबल प्रवाह सत्य के भाव पक्ष का

कवि अगर अपने समय का संस्कृति-पुरुष है तो कविता उसके द्वारा रची गयी सांस्कृतिक थाती। यह संस्कृति क्या है, अगर कोई जिज्ञासा ही कर बैठे तो तमाम तरह से सोच-विचार कर अन्ततः कहना यही पड़ेगा कि एक ऐसा युग-सत्य ज़माना जिससे आँख बचाकर उन राहों की ओर निकल जाना चाहता है जिन्हें सफलता की राहें कहा और माना जाता है। पर ये 'राहें' सत्य और सार्थकता की राहें भी कभी मानी जायेंगी कि नहीं, कहना कठिन है। इसीलिए एक कवि का कहना भूलता ही नहीं कि समय के सघन अँधेरों में जब सारी आवाज़ें ख़ामोश हो जाती हैं, तब जो एक आवाज़ किसी चीख़ या पुकार या आवाहन/उद्‌बोधन के रूप में सारे ज़माने में सुनाई देती है, वही कवि की आवाज़ होती है।

इसका यह तात्पर्य बिल्कुल नहीं कि झूठी आवाज़ों का अपना कोई वजूद नहीं होता है पर वह इतना उथला और सतही होता है जैसे इन दिनों के अख़बार या मीडिया चैनल हो गये हैं। ये मुनाफ़े की वे चमकीली ज़गहें हैं जो दरबारदारी के रंग में रँगी हुई हैं। उन्हें झूठ से कोई ख़ास परेशानी नहीं है। पर कविता तो झूठ को अफ़ोर्ड ही नहीं कर सकती। इसलिए वीरेन्द्र वत्स जैसे कवि जब यह लिखते हैं कि कविता सत्य का प्रबल प्रवाह है, तब वे यह भी याद दिलाते हैं कि सत्य का दूसरा नाम कविता है या कविता का पहला नाम सत्य है। महाकवि तुलसी तब सहज ही याद हो आते हैं–'सत्य कहउँ लिखि कागद कोरे।' गांधी तो कविता और सत्य को अगल-बग़ल बिठाकर कहते हैं–सच बोलना ही कविता है।

ऐसे सच को बोलने के लिए कवि में जिस ईमान और साहस की ज़रूरत पड़ती है, उसका प्रमाण कवि द्वारा प्रतिबिम्बित वह जीवनानुभव हुआ करता है, जो उसकी कविता में काव्यानुभव के रूप में दर्ज होता चलता है। वीरेन्द्र वत्स के ये जीवनानुभव हमारे इसी समय और लोक के हैं, जिनमें हमारी अपनी प्रत्यक्ष उपस्थिति है। न

केवल एक दर्शक के रूप में बल्कि सीधे-सीधे भागीदार की तरह। हमारे उस लोकतन्त्र में, हमारी अपनी नागरिकता के साथ, जिसे हमारे जन-प्रतिनिधियों ने विवश प्रजात्व में ढाल दिया है। कवि वीरेन्द्र वत्स की कविताएँ इसीलिए हमारी उस विस्मृत नागरिकता की पुकार हैं, जिसके होश में आने पर कोई देश सचमुच देश बनता है और उसके द्वारा स्वीकृत लोकतन्त्र सचमुच लोक का अपना तन्त्र बनता है।

वीरेन्द्र वत्स की कविताएँ अपनी पहली प्रतिज्ञा में इस खोये हुए लोकतन्त्र की बेचैन तलाश हैं। पर यह कोई हवाई तलाश नहीं है, न कोई ऐसा देखा जा रहा जादुई स्वप्न जिसे जानने और पहचानने के लिए किसी गूढ़ या जटिल खोज-यात्रा से हमें गुज़रना पड़े। विपरीत इसके यह एक ऐसी जानी-पहचानी तलाश है, जिसे आज़ादी के बाद एक पूरी काव्य-परम्परा आकुल-व्याकुल होकर ढूँढ़ती रही है। शलभ श्रीराम सिंह की नज़्म 'इन्क़लाब ज़िन्दाबाद' यहाँ बरबस याद आती है। दुष्यन्त कुमार (साये में धूप) तथा अदम गोंडवी की ग़ज़लों में इसी लोक-वेदना को प्रतिबिम्बित किया गया है जिसे इन पंक्तियों में महसूस किया जा सकता है–

'हो गई है पीर पर्वत-सी पिघलनी चाहिए
इस हिमालय से कोई गंगा निकलनी चाहिए'

–दुष्यन्त कुमार

याद करने का मन होता है कि इन परवर्तियों से भी काफ़ी पहले कवि नागार्जुन ने अपनी एक कविता में पूछा–'किसकी है जनवरी किसका अगस्त है, कौन है यहाँ सुखी कौन यहाँ मस्त है?'

कवि वीरेन्द्र वत्स की काव्य-बिरादरी को खोजा जाये तो यही है। वे भी अपनी कविता में यह दुखद यथार्थ रेखांकित करने का साहस प्रदर्शित करते हैं–'नोच रहे हैं देश को राजनीति के गिद्ध।' '...बजट जितना घोटाला कर गये उससे कहीं ज़्यादा...' 'सब राजा हैं एक समान/सबकी है तोते में जान...' आदि-आदि।

अपनी इन्हीं कविताओं में वे दो-टूक अन्दाज़ में यह बार-बार पूछते हैं कि तन्त्र में लोक कहाँ है? या बस तन्त्र ही तन्त्र है, और लोक नदारद?

कुछ सत्तान्ध-समूह और अपने घृणित स्वार्थों को ही देश का हित मानने वाले लोग कवियों की इस बिरादरी को देश-विरोधी कहकर इनकी देशभक्ति और राष्ट्रप्रेम को कटघरे में खड़ा कर सकते हैं पर देश का वह विशाल जनसमूह या कहें अवाम अपने सच्चे प्रेमियों और छद्म मुखौटाधारियों की पहचान करना बख़ूबी जानता है और कविकर्म की गम्भीरता भी जिसे कवि ने अपने इन शब्दों में दर्ज भी कर दिया है–

'कविता नारा -कथा-गद्य-इतिहास नहीं है
कविता कोरा व्यंग्य, हास-परिहास नहीं है
कविता प्रबल प्रवाह सत्य के भाव-पक्ष का...'

वे जिनकी चेतना किसी असाध्य रोग से ग्रस्त नहीं है, वे जिनका राष्ट्रबोध निर्भ्रान्त है, ज़रूर यह अनुभव करेंगे कि कवि की ये कविताएँ खड़ी बोली काव्य की उसी परम्परा में हैं जिसका प्रवर्तन कभी भारतेन्दु ने किया था और विकास राष्ट्रीय तथा छायावादी काव्यधारा के कवियों ने। यही वह धारा है जो अविराम गति से नागार्जुन, भवानी प्रसाद मिश्र, दुष्यन्त, शलभ श्रीराम सिंह और अदम गोंडवी से होकर हमारे अपने समय के कवियों तक चलती चली आयी है।

कवि वीरेन्द्र वत्स की कविताएँ इसी जनधारा की कविताएँ हैं जिनमें समूचे राष्ट्रीय जीवन की सामूहिक व्यथा प्रतिबिम्बित है। सवाल यह भी है कि ये कविताएँ किनके लिए और किसके विरुद्ध लिखी गयी हैं। जवाब होगा अवाम के लिए और उसी के पक्ष में। यानी कि उस समूचे जनजीवन के पक्ष में जिसे हम भारत भाग्य विधाता कहते हैं और मानते हैं। कवि वीरेन्द्र वत्स की कविताएँ उसी भारत भाग्य विधाता से प्रत्यक्ष संवाद हैं। इसी रूप में ये उस राष्ट्रीय धारा के एक और अध्याय जैसी हैं, जो केवल शहरी मध्यवर्ग के अपने सीमित अनुभवों तक महदूद नहीं है। स्वभावत: इन कविताओं में कोई दुराव-छिपाव अथवा जादुई कहन या अभिव्यक्तियाँ नहीं हैं। विपरीत इसके ये सीधी-सच्ची पुकारें हैं जो कम सुनने वालों को भी सुनाई दे सकती हैं। इसका मतलब यह नहीं कि ये चीख़ और शोर-शराबे की हुड़दंगी आवाज़ें हैं। विपरीत इसके ये नंगे जीवन-सत्य की ऐसी मर्मवेधी ध्वनियाँ हैं जो अपने समय की विद्रूपता और उत्पीड़क विडम्बनाओं का दर्दनाक बयान करती हैं।

एक ज़िम्मेदार कवि का दायित्व किन्तु यहीं ख़त्म नहीं हो जाता। उसका एक अपेक्षाकृत और गहरा दायित्व अपने समय के असूझ अन्धकार में मार्गदर्शी मशाल बनकर जलना भी है। कवि वीरेन्द्र वत्स यहाँ भी हमें हमारी उम्मीदों के अनुरूप खड़े मिलते हैं–

'तुम्हीं नींद हो, तुम अँगड़ाई
तुम्हीं स्वप्न हो, तुम सच्चाई

शक्ति तुम्हारी अक्षय-अगम-अपार
राह तुम्हारी देख रहा संसार'

इसे भी स्वीकार करने में कोई परहेज़ नहीं कि कवि की उम्मीदें अवाम के जिस हिस्से पर टिकी हैं, वह वही है जो इस देश के उत्पादन और नवनिर्माण का कर्ता है। कवि इसे छिपाता भी नहीं। उसकी स्पष्टोक्ति है–

‘जन्म तुम्हारा हुआ खेत-खलिहानों में
पले-बढ़े मज़दूरों और किसानों में’

बेशक जीवन का सौन्दर्य इसी श्रम-संस्कृति से निखरता है। किन्तु जो सत्ता-तन्त्र इसके साथ न्याय न कर घात करता है, उसे कोई भी सभ्यता-लोक का अपना तन्त्र शायद ही कहे। कवि ने इसके इशारे बार-बार किये हैं। इस रूप में यह कवि एक प्रतिबद्ध कवि है, जिसकी वाणी बग़ैर किसी लाग-लपेट के सच्ची और खरी है। जिस कवि में यह दोटूकपन और खरापन नहीं होगा, वह किसी चौराहे पर एक दिग्भ्रमित यात्री के अलावा और क्या माना जायेगा।

इस कवि का एक और सौन्दर्य इसकी वह काव्य-भाषा है जिसकी ध्वनियाँ आम बोलचाल की हैं। स्वभावत: कवि की भावाभिव्यक्तियों के साथ बोलचाल के वे सारे मुहावरे उसकी कविता में अपने आप चले आये हैं, जिनसे कविता और जीवन के बीच की दूरियाँ कम होती चली गयी हैं। ऐसा तभी सम्भव होता है जब कवि और उसके चतुर्दिक का जीवन एकाकार हो उठा हो। इस सन्दर्भ में शायद कुछ काव्यांश संगत जान पड़ें–

‘अजब नेता, अजब अफ़सर
तरक़्क़ी का अजब ख़ाका
इन्हें ठेका, उन्हें पट्टा
यहाँ चोरी, वहाँ डाका’

× × ×

बूढ़ा बाप दमा का मारा खाँस रहा है घर में
घर क्या है खोता चिड़िया का बदल गया छप्पर में

यहाँ खोता जैसे शब्द-प्रयोग सहसा हमारा ध्यान खींचते हैं जो अवध के गाँवों में चिड़ियों के घोंसले के लिए प्राय: प्रयुक्त होते हैं।

कवि की भाषा का एक रूप वह मानक साहित्यिक पदावली है, जिस पर छायावादी काव्य-भाषा का प्रभाव देखा जा सकता है।

'पीन-तनु-सुकुमार-श्यामल
स्निग्ध-शिव-निष्काम निर्मल'
—आदि-आदि

किन्तु इसे हम कवि की भाषा की सामान्य पहचान नहीं कह सकते। उसकी सामान्य पदावली तो वही है जिसकी चर्चा पहले की गयी है और जो उसकी कविता की अपनी पहचान कही जा सकती है। उसका मानक स्वरूप विशेषत: उसकी ग़ज़लों और दोहों में लक्षित किया जा सकता है–

'नज़र नहीं है नज़ारों की बात करते हैं
ज़मीं पे चाँद-सितारों की बात करते है

बड़ा हसीन है उनकी ज़बान का जादू
लगाके आग बहारों की बात करते हैं'

× × ×

'फटी ज़मीन तो शोले उठेंगे सागर से
कहाँ तलक वो तेरा हौसला दबायेंगे'

× × ×

'कितना गहरा प्रेम है किसने पायी थाह
जिसने सीखा डूबना उसने पायी राह'

समकालीन कविता की अधिकांश प्रतिभाएँ जहाँ भाषा और छन्द की एकरसता से ग्रस्त हैं, वहीं इस कवि की कविता के छन्द और भाषा-रूपों की विविधता हम पाठकों को न केवल राहत देती है बल्कि यह उम्मीद भी जगाती है कि गीत-दोहे आदि अनेक तुकान्त छन्द अभी भी नि:शेष नहीं हुए हैं और प्रतिभाओं का स्पर्श पाकर वे बार-बार अपनी चमक बिखेरते रहेंगे। कवि वीरेन्द्र वत्स इस दृष्टि से हमारे समय के उन जन समर्पित कवियों में हैं जिनकी कविता की आधारभूत प्रतिज्ञा वह

राष्ट्रीय जीवन-यथार्थ है जो इस वक़्त की सबसे बड़ी ख़बर है और दुखद सच्चाई भी, जिसे इस कवि ने अपने दोहों और ग़ज़लों में दर्ज कर ऐसा सांस्कृतिक इतिहास लिख दिया है, जो न केवल चिन्तित और उदास करता है, बल्कि हमसे यह उम्मीद भी करता है कि हम अपनी भूमिका को लेकर कब सोचना शुरू करेंगे।

'ये उबलते हुए जज़्बात कहाँ ले जायें
जंग करते हुए नग़मात कहाँ ले जायें

अमीर मुल्क की मुफ़लिस जमात से पूछो
उसके हिस्से की घनी रात कहाँ ले जायें'

–विजय बहादुर सिंह

3-12-2024

अनुक्रम

प्रमुख ग़ज़लें और नज़्में

घिरो शब्द के मेघ

घिरो शब्द के मेघ
गगन में घम्म-घम्म घहराओ
अररतोर बरसो
अन्तर का कलुष बहा ले जाओ
शब्द तुम्हीं हो ब्रह्म
आज फिर अपने भीतर झाँको
अपनी उथल-पुथल की क्षमता
नये सिरे से आँको
तुम ही बिजली तुम्हीं आग हो
तुम दीवाली तुम्हीं फाग हो
तुम ही आँधी तुम्हीं श्वास हो
तुम्हीं लक्ष्य हो तुम्हीं आस हो
तुम्हीं नींद हो तुम अँगड़ाई
तुम्हीं स्वप्न हो तुम सच्चाई
जन्म तुम्हारा हुआ खेत-खलिहानों में
पले-बढ़े मजदूरों और किसानों में
शक्ति तुम्हारी अक्षय-अगम-अपार
राह तुम्हारी देख रहा संसार

जनता बोली सुनो कवि

तोड़ दिये सब बन्ध काव्य के घिसे-पुराने
नये ढंग से हम जनता को चले जगाने
जनता, जो पहले से जाग रही थी, बोली-
'जला-जलाकर आप लोग कविता की होली
डाल रहे अपनी क्यारी में शेष उसी का
भुना रहे हैं गली-गली अवशेष उसी का
जनता का प्रतिरोध आपको रास न आया
जनमानस से दूर छद्म संसार बसाया
तैर हवा में व्यर्थ लकीरें खींच रहे हैं
जड़ें काट दीं और तने को सींच रहे हैं
पहल और परिवर्तन का स्वागत है भाई
किन्तु आपने कविता की पहचान मिटाई
कविता नारा-कथा-गद्य-इतिहास नहीं है
कविता कोरा व्यंग्य हास-परिहास नहीं है
कविता प्रबल प्रवाह सत्य के भाव पक्ष का
वशीभूत होता जिससे जड़ भी समक्ष का
कविता जो मन की ऋतु का परिवर्तन कर दे
कभी स्नेह तो कभी आग अन्तर में भर दे'

तू जीत के लिए बना

प्रचण्ड अग्निज्वाल हो
अपार शैलमाल हो
तू डर नहीं सिहर नहीं
तू राह में ठहर नहीं
ललाट यह रहे तना
तू जीत के लिए बना
तू जोश से भुजा चढ़ा
तू होश से कदम बढ़ा
गगन-गगन में गाँव हो
शिखर-शिखर पे पाँव हो
तू आँधियों से खेल कर
तू बिजलियों से मेल कर
तू कालचक्र तोड़ दे
तू रुख समय का मोड़ दे
अजेय क्रान्तिवीर तू
अजेय शान्तिवीर तू

भारती का लाल

तू धधकती आग है
तू बरसता राग है
नींव है निर्माण है तू
प्रेम है बैराग है

तू मधुर मधुमास है
ज़िन्दगी की आस है
जो हृदय की पीर हर ले
वह अडिग विश्वास है

धर्म का आगार है
पुण्य का विस्तार है
ग्रीष्म में शीतल पवन है
प्यास में जलधार है

ज्ञान योगी-कर्म योगी
तू धरा की आन है
राष्ट्र का कल्याण जिसमें
तू वही अभियान है

भारती का लाल है
सज्जनों की ढाल है
विकट है विकराल है तू
दुर्जनों का काल है

दोहे (2005-13)

(नेता, राष्ट्र, लोकतन्त्र, प्रेम)

नेता

पुतले भ्रष्टाचार के छल-प्रपंच में सिद्ध
नोच रहे हैं देश को राजनीति के गिद्ध

अरबों के मालिक हुए कल तक थे दरवेश।
नेता दोनों हाथ से लूट रहे हैं देश।।

बारी-बारी लुट रही जनता है मजबूर।
नेता हैं गोरी यहाँ, नेता हैं तैमूर।।

देख रहा है देश यह कैसे-कैसे दौर।
चोर-उचक्के बन गए शासन के सिरमौर।।

लल्लू जी मन्त्री बने चमचे ठेकेदार।
जनता जाए भाड़ में अपना बेड़ा पार।।

सौदा किया प्रधान से, दिए करारे नोट।
पन्नी बाँटी गाँव में पलट गए सब वोट॥

सुविधाओं के सामने जनसंख्या विकराल।
सबका हिस्सा खा गये नेता और दलाल।।

बूड़ा आया गाँव में उजड़ गए सब खेत।
नेता राहत ले उड़े चलो बुकायें रेत।।

ज्ञान-ध्यान-सम्मान-सुख सबका साधन अर्थ।
पूजा करिए अर्थ की बिना अर्थ सब व्यर्थ।।

सत्य-अहिंसा त्याग-तप बीते दिन की बात।
जहाँ देखिए छद्म-छल, लूट, घात-प्रतिघात।।

राष्ट्र

जाति-धर्म, भाषा-दिशा, प्रान्तवाद की मार।
टूटी-फूटी नाव है, कौन लगाये पार।।

रहा सैकड़ों साल तक हिन्दुस्तान गुलाम।
फिर भी खुली न आँख तो समझो काम तमाम।।

लोकतन्त्र के नाम पर हम सब हुए अतन्त्र।
यही रहा यदि हाल तो फिर होंगे परतन्त्र।।

शठ से होना चाहिए शठ जैसा व्यवहार।
वरना अगली आपदा आने को तैयार।।

देश बँटा, भाषा बँटी बँटे वर्ग-समुदाय।
कैसे हों सब एक फिर मिलकर करो उपाय।।

झूठे झगड़े छोड़कर, चलो बढ़ायें ज्ञान।
मुसलमान गीता पढ़ें, हिन्दू पढ़ें कुरान॥

त्याग-अहिंसा से हमें बहुत मिल चुका मान।
राष्ट्रप्रेम के ताप से ढालें नया विहान।।

राम-कृष्ण की भूमि यह यहाँ बुद्ध का ज्ञान।
इसकी रक्षा के लिए करें लक्ष्य संधान।।

लोकतन्त्र

घर के भेदी बुन रहे षडयंत्रों का जाल
लोकतन्त्र ही बन गया लोकतन्त्र का काल

सना हुआ है रक्त से भारत माँ का भाल
लोकतन्त्र ही बन गया लोकतन्त्र का काल

टुच्चे नेता राष्ट्र की पगड़ी रहे उछाल
लोकतन्त्र ही बन गया लोकतन्त्र का काल

जाति-धर्म की रार में जीना हुआ मुहाल
लोकतन्त्र ही बन गया लोकतन्त्र का काल

कहीं खिंची तलवार है कहीं तनी है नाल
लोकतन्त्र ही बन गया लोकतन्त्र का काल

भ्रष्टाचारी कर रहे भारत को कंगाल
लोकतन्त्र ही बन गया लोकतन्त्र का काल

गाँव-गली में चौक पर गुंडे करें बवाल
लोकतन्त्र ही बन गया लोकतन्त्र का काल

कोई भूखा मर रहा कोई काटे माल
लोकतन्त्र ही बन गया लोकतन्त्र का काल

करना-धरना कुछ नहीं सिर्फ बजाते गाल
लोकतन्त्र ही बन गया लोकतन्त्र का काल

प्रेम

कौन सहे कैसे सहे सागर जैसी पीर।
आँखें पाथर हो गईं माटी हुआ शरीर।।

कागा छत पर बोलकर रोज जगाए आस।
अब तक तू लौटा नहीं टूट न जाए साँस।।

बैरी साजन उड़ चला छोड़ जगत का मोह।
मेरा सब कुछ लुट गया मुझको मिला बिछोह।।

पिया-पिया की टेर क्यों, पिया गया परदेस।
जाते-जाते दे गया मन को भारी ठेस।।

कितना गहरा प्रेम है किसने पाई थाह।
जिसने सीखा डूबना उसने पाई राह।।

पिया किनारे बैठकर लहरें रहा निहार।
सागर में उतरे बिना कौन लगा है पार।।

यह देश

(सन् 1990)

जिसका गर्वोन्नत शीश युगों तक था भू पर
लहरायी जिसकी कीर्ति सितारों को छूकर
जिसके वैभव का गान सृष्टि की लय में था
जिसकी विभूतियाँ देख विश्व विस्मय में था
जिसके दर्शन की प्यास लिये पश्चिम वाले
आये गिरि-गह्वर-सिन्धु लाँघकर मतवाले
वह देश वही भारत उसको क्या हुआ आज?
सोने की चिड़िया निगल गया हा! कौन बाज?

यह देश सूर, तुलसी, कबीर, रसखानों का
विज्ञानव्रती ऋषियों का वीर जवानों का
यह देश दीन-दुर्बल मजदूर किसानों का
टूटे सपनों का, लुटे हुए अरमानों का
जब-जब जागा इनमें सुषुप्त जनमत अपार
आ गया क्रान्ति का परिवर्तन का महाज्वार
ढह गए राज प्रासाद, बहा शोषक समाज
मिट गयी दानवों की माया आया सुराज

ये नहीं चाहते तोड़फोड़ या रक्तपात
ये नहीं चाहते प्रतिहिंसा-प्रतिशोध-घात
पर तुम ही इनको सदा छेड़ते आये हो
इनके धीरज के साथ खेलते आये हो

इनकी हड्डी पर राजभवन की दीवारें
कब तक जोड़ेंगी और तुम्हारी सरकारें?
रोको भवनों का भार, नींव की गरमाहट-
देती है ज्वालामुखी फूटने की आहट!!

गर्हित वह गणतन्त्र

(सन् 1988)

गर्हित वह गणतन्त्र कलंकित अरे वहाँ का शासन
जहाँ विपुल वैभव में पोषित भूख और नंगापन
आज़ादी की जंग छिड़ी थी जिन प्रश्नों को लेकर
अट्टहास कर रहे आज वे हमें तबाही देकर
पहरे में अभिव्यक्ति, छिन्न हैं तार सभी मानस के
प्यासी आँखें, पथराये जलवाह निठुर पावस के

अपनी भारत भूमि जहाँ मिट्टी में स्वर्ग छिपा है
कण-कण में जीवन का जड़ से शुभ संसर्ग छिपा है
रत्न उगे इस भू पर जिसका ख़ून-पसीना पीकर
निराहार-निर्वस्त्र पड़ा वह मरा हुआ सा जीकर
जर्जर काया से लिपटा है फटा-पुराना बोरा
जो धरती का लाल उसी का ख़ाली पड़ा कटोरा

महँगू-सहतू चोथू-मोथू दयानन्द-गिरधारी
व्यर्थ अश्रु की धार, करो अब आगे की तैयारी
मातृभूमि की हर थाती पर है अधिकार तुम्हारा
तुम समर्थ हो तुम्हें तुम्हारे पागलपन ने मारा
जागो हे पददलित दीन-दुर्बल मजदूर-किसानो
जागो हे मस्तिष्क देश के, जागो वीर जवानो
अब सोये तो यह प्रभात फिर हाथ नहीं आयेगा
अंधकार घनघोर प्रलय का तुम पर घहरायेगा

दौड़ो-दौड़ो आओ-आओ साथी शूर समर के
तुम्हें शत्रु से लोहा लेना है अपने ही घर के
ध्यान रहे तुमको भी पावन मन से आना होगा
लोभ-मोह-मतवाद हृदय से दूर भगाना होगा
बढ़ो तोड़ दो मक्कारों के स्वर्ण भरे तहख़ाने
तोड़ो उनका दम्भ, लगा दो उनके होश ठिकाने
भ्रम की कारा तोड़ आन पर बढ़ो तुम्हारी जय हो
देशद्रोहियों की छाती पर चढ़ो तुम्हारी जय हो

छोड़ दूँ कैसे मिलन की आस

(यह कविता तीन भागों में है—परामर्श, प्रतिक्रिया और प्रयाण)

परामर्श

अभिसारिके छोड़ो मिलन की आस
विजन वन रजनी भयंकर
क्षुब्ध शम्पा उग्र अम्बर
कर रहे हर जीव के अस्तित्व का उपहास
अभिसारिके छोड़ो मिलन की आस

गर्जना करतीं हवाएँ
चीख़तीं चारों दिशाएँ
मेघ के उर में कुटिल दुर्भावना का वास
अभिसारिके छोड़ो मिलन की आस

उर्मि या चल शैलमाला
व्योम से किसने उछाला।
हरहराता-तप्त-फेनिल ध्वंस का उच्छ्वास
अभिसारिके छोड़ो मिलन की आस

गहन तम में आँख फाड़े
मृत्यु हिंसातुर दहाड़े
कब मिटी है भूख इसकी कब बुझी है प्यास
अभिसारिके छोड़ो मिलन की आस

भावनाओं की दुलारी
इस प्रकृति की शक्ति सारी

नाशलीला का निरन्तर कर रही अभ्यास
अभिसारिके छोड़ो मिलन की आस

यह प्रणय बन्धन तुम्हारा
जानता था गाँव सारा
हो चुका है वह भयावह जलचरों का वास
अभिसारिके छोड़ो मिलन की आस

सृष्टिगत सौन्दर्य सारा
सहज शरणागत तुम्हारा
पट सँभालो हो न इसका प्रलय को आभास
अभिसारिके छोड़ो मिलन की आस

पीन-तनु-सुकुमार-श्यामल
स्निग्ध-शिव-निष्काम-निर्मल
गात निष्ठुर काल को क्यों दे रही सायास
अभिसारिके छोड़ो मिलन की आस

आह! यदि मैं काल होता
दूर रह तुमको सँजोता
देखता बस रूप लेकर कर्म से संन्यास
अभिसारिके छोड़ो मिलन की आस

प्रतिक्रिया

है परीक्षा की घड़ी यह
साधना इतनी बड़ी यह
फिर निराशा ही तुम्हें क्यों आ रही है रास
छोड़ दूँ कैसे मिलन की आस

अर्चना का दीप अन्तर
जल रहा मेरा निरन्तर
हो न क्यों प्रियतम समागम का मुझे विश्वास
छोड़ दूँ कैसे मिलन की आस

काल सीमित, प्रीति अक्षय
प्रीति रहती चेतनामय
देह में चाहे चले, रुक जाय चाहे साँस
छोड़ दूँ कैसे मिलन की आस

वज्र-घन-आँधी-अँधेरे
सब अशुभ सौभाग्य मेरे
हाँ दुसह मधुमास, मधुमय चाँदनी का त्रास
छोड़ दूँ कैसे मिलन की आस

दैव घन से सोम सरसे
या विषम अंगार बरसे
इस हृदय वन से नहीं जाता कभी मधुमास
छोड़ दूँ कैसे मिलन की आस

प्रयाण

नहीं रुकी वह बाला निर्भय चली अँधेरे पथ पर
काल निशा में जैसे कोई चले मेघ के रथ पर
वह उमंग वह आस मिलन की वह अदम्य अभिलाषा
वह भावों का वेग और भोले नैनों की भाषा
मानव का संकल्प चुनौती देने चला प्रलय को
बिना विचारे जड़-चेतन के ध्वंसक महाविलय को
बीच-बीच में बिजली कौंधे पग-पग राह दिखाये
लहर-लहर अनजाने पथ पर माया जाल बिछाये
बाधाएँ सब भूल बढ़ी वह दुर्गम वन में आगे
नए स्वप्न सुकुमार-सलोने अन्तर्मन में जागे
कहाँ मिलूँगी क्या बोलूँगी कैसे प्रेम करूँगी
प्रिय की एक एक बोली पर सौ-सौ बार मरूँगी
मुझे देखते ही वह अपनी बाँहों में भर लेगा
सोचा जो इतने वर्षों से आज उसे कर लेगा
काँप उठेगी काया जब होठों को वह चूमेगा
दो प्राणों के मधुर मिलन पर सारा जग झूमेगा
वह असीम आनन्द भला मैं कैसे सह पाऊँगी
और बिना उसके भी जीवित कैसे रह पाऊँगी
दिवास्वप्न के बीच अन्ततः आ ही गया ठिकाना
इच्छाशक्ति प्रबल थी, सिमटा पन्थ अगम-अनजाना
दृश्य वहाँ का देख लगा गहरा आघात हृदय को
सह सकता है कौन स्वयं पर इतने बड़े अनय को
प्रियतम के संग नई प्रेमिका सपनों में खोई थी

आलिंगन में बँधी हुई थी कंधे पर सोई थी
सूख गये आँसू आँखों में, मुँह से बोल न फूटे
कोमल मन के सारे बंधन चीख़-चीख़ कर टूटे
अंत नहीं यह, इसी जगह से नई राह खुलती है
बड़े लक्ष्य की ओर वही आगे चलकर मुड़ती है
किया नया संकल्प-मुझे अब विश्व प्रेम पाना है
पढ़-लिखकर पीड़ित जनता की सेवा में जाना है।

राजा-रानी कथा

राजा के घर चौका-बर्तन करती फूलकुमारी
दो हजार तनख्वाह महीना, बची-खुची त्योहारी

हिरनी जैसी फुर्तीली है पल भर में आ जाती
हँसते-गाते राजमहल के सभी काम निबटाती

श्रम का तेज पसीना बनकर तन से छलक रहा है
हर उभार यौवन का झीने पट से झलक रहा है

बीच-बीच में राजा से बख्शीश आदि पा जाती
जोड़-तोड़कर जैसे-तैसे घर का खर्च चलाती

बूढ़ा बाप दमा का मारा खाँस रहा है घर में
घर क्या है खोता चिड़िया का बदल गया छप्पर में

रानी जगमग ज्योति-पुंज सी अपना रूप सँवारे
चले गगन में और धरा पर कभी न पाँव उतारे

नारीवादी कार्यक्रमों में यदा-कदा जाती है
जोशीले भाषण देकर सम्मान ख़ूब पाती है

सोना-चाँदी हीरा-मोती साड़ी भव्य-सजीली
रंग और रोगन से जी भर सजती रंग-रँगीली

यह सिंगार भी राजा की आँखों को बाँध न पाता
मन का चोर मुआ निष्ठा को यहाँ-वहाँ भरमाता

राजा ने जब फूलकुमारी की तनख्वाह बढ़ाई
मालिक की करतूत मालकिन हजम नहीं कर पाई

फूलकुमारी को रानी ने फौरन मार भगाया
उसके बदले बीस साल का नौकर नया बुलाया

राजा-रानी ख़त्म कहानी

राजा-रानी ख़त्म कहानी
जाग रहे हम, सोई नानी
चलो मचायें शोर
गली में आया काला चोर

बिना काम के माल उड़ाने
दबे पाँव वह आया
ताला तोड़ा, कुंडी खोली
घर में कदम बढ़ाया
दौड़ो-दौड़ो रोको-रोको
जरा लगाकर जोर

शासन-सत्ता की गलियों में
चोर बहुत सारे हैं
उन्हें न भेजो संसद में जो
लालच के मारे हैं
जो भारत का मान बढ़ाये
जनता उसकी ओर

जाति-धर्म का ढोल पीटकर
वोट लूट लेते हैं
फिर लोगों को पाँच साल तक
दुख ही दुख देते हैं

सजग रहो, उड़ने से पहले
काटो उनकी डोर

चोरी-भ्रष्टाचार मिटाकर
नया समाज बनायें
आने वाले कल की ख़ातिर
सपने नये सजायें
नयी-नयी रातें हों अपनी
नयी-नयी हो भोर

राजकाज

अजब नेता, अजब अफसर
तरक्की का अजब खाका
इन्हें ठेका, उन्हें पट्टा
यहाँ चोरी, वहाँ डाका

बजट जितना, घोटाला कर गए उससे कहीं ज्यादा
गया जो जेल प्यादा था
बचे बेदाग फिर आका

मिली है जीत कुनबे को बधाई हो-बधाई हो
जियो भैया, जियो बाबू
जियो लल्ला, जियो काका

हुकूमत क्या मिली, सारा खजाना अब इन्हीं का है
बिकी मिट्टी, बिका पानी
बिका नुक्कड़, बिका नाका

जमाना बाहुबलियों का, रखा कानून ठेंगे पर
कहीं लाठी कहीं गोली
कहीं कट्टा कहीं बाँका

वहाँ तो महफ़िलों का दौर है, प्याले छलकते हैं
यहाँ है टीस, लाचारी
सुबह से रात तक फाका

मुझे टूटना भाया

मुझे टूटना भाया
बहुत दिनों तक चंचल मन से
मिलता रहा मुक्त जन-जन से
देखे प्रेम-प्रणय के सपने
सबसे हँसा-हँसाया

प्रतिभा की निष्फल छाया में
क्षणिक अमरता की माया में
तरल उमंगों की लय देकर
मन को ख़ूब नचाया

स्वजन अर्थ-बल-वैभव कामी
मैं बस भाव विभव का स्वामी
यही एक अभिशाप आज मैं
अपने लिए पराया

मैं जन की पीड़ा का गायक
जन का सेवक जन का नायक
पथ के कंटक देख अभी से
इतना क्यों अकुलाया
मुझे टूटना भाया

जीवन पथ पर

मैं एकाकी जीवन पथ पर निर्भय निकल पड़ा
तोड़ चला विपदा की कारा
मोड़ चला जीवन की धारा
आहत मन आनन्द अश्रु की लय पर मचल पड़ा
मैं एकाकी जीवन पथ पर निर्भय निकल पड़ा

कोई काँपा कल्पित भय से
कोई विकल हुआ विस्मय से
कोई थककर वापस लौटा कोई फिसल पड़ा
मैं एकाकी जीवन पथ पर निर्भय निकल पड़ा

जिस उर से घातक शम्पाएँ
लड़कर चूर-चूर हो जाएँ
वह औरों के दुख की आहट पाकर पिघल पड़ा
मैं एकाकी जीवन पथ पर निर्भय निकल पड़ा

यारी में सर्वस्व लुटाया
अर्थ चुका तो हुआ पराया
जो भी आया वही निकम्मा कहकर उबल पड़ा
मैं एकाकी जीवन पथ पर निर्भय निकल पड़ा

बस तेरा नाम

आँखों की झील से काजल की कोर तक
सावन की शाम से फागुन की भोर तक
बस तेरी याद है, बस तेरा नाम है

गलियों में फूल खिले
खुशबू को पंख लगे
सीने में हूक उठी
सोये अरमान जगे

शबनम की बूँद से लहरों के शोर तक
चाँदी की रेत से अम्बर के छोर तक
बस तेरी याद है, बस तेरा नाम है

जिस दिन से तू मेरे
सपनों में आई है
जीवन के हर पल में
तू ही समाई है

धड़कन के गीत से साँसों की डोर तक
पुरवा की थाप से आँधी के जोर तक
बस तेरी याद है, बस तेरा नाम है

हाथ पीले हो गये

वेदना के हाथ पीले हो गये
नववधू से अंग सब सुन्दर-सजीले हो गये
सुन्दरी आनन्द के घर आ गयी वह
प्राणप्रिय पर चेतना सी छा गयी वह
लोकलज्जा के सभी प्रतिबंध ढीले हो गये
वेदना के हाथ पीले हो गये

मुँह छिपाये धुंध में मधुमास आया
छू उषा को नींद से उसने जगाया
लहलहाते बाग-वन बेडौल टीले हो गए
वेदना के हाथ पीले हो गए

कवि मुझे आनन्द का जो मानता है
वेदना का स्वर वही पहचानता है
किन्तु यह क्या? आपके भी नैन गीले हो गए?
वेदना के हाथ पीले हो गए

सपनों का संसार

चाँद-सितारे, पर्वत-सागर, बादल और बहार
कौन बनाता है यह सुन्दर सपनों का संसार

सूरज रोज सुबह जग को जीवन की राह दिखाये
पवन कली का घूँघट खोले पंछी गीत सुनाये
बरखा, बिजली, जंगल, दरिया, ख़ूशबू और बयार
कौन बनाता है यह सुन्दर सपनों का संसार

ये दुनिया है प्यारी देखो घर से जरा निकल के
अगर नमी है आँखों में तो सपने भी हैं कल के
सबकी यही तमन्ना जी लें जग में साल हज़ार
कौन बनाता है यह सुन्दर सपनों का संसार

समझो अपनी ताकत भाई

सब राजा हैं एक समान
सबकी है तोते में जान

तोता कुछ भी समझ न पाता
विहग योनि पाकर पछताता

खेल-खेल में बटन दबाता
राज मिटाता राज बनाता

राजा ने इसको भरमाया
त्याग-तोष का पाठ पढ़ाया

तोता बना तभी से जोगी
राज चलाते टुच्चे-ढोंगी

चलो हकीकत इसे बतायें
चलो नींद से इसे जगायें

उठो-उठो अब जागो-जागो
खुला द्वार पिंजरे से भागो

किसने तुमको भाँग पिलाई?
समझो अपनी ताकत भाई!!

सभा में तालियाँ

सभा में तालियाँ हैं और हम हैं
लबों पर गालियाँ हैं और हम हैं

वही सपने दिखाते आ रहे हुक्काम बरसों से
सियासी थालियाँ हैं और हम हैं

उजाला मेरे हिस्से का, वदन उनका दमकता है
कपट की जालियाँ हैं और हम हैं

उन्हें है धर्म से मतलब, उन्हें है जाति की चिन्ता
दरकती डालियाँ हैं और हम हैं

कहीं डाका, कहीं दंगा, कहीं आतंक का साया
लहू की नालियाँ हैं और हम हैं

बाँट दिए सब खेत

राजा के सीने में उठता ज्वार
बुआई कर ली हमने सही समय पर
बाँट दिए सब खेत
मेड़ पर मिट्टी डाली
आधी-आधी रात चलाकर लिप्सा का हल
बँटे हुए खेतों की कर ली खूब जुताई
फिर बोये विषबीज बीच घृणा-कुंठा-नफरत के
बीज उगे, बढ़ चले
खिलीं राजा की बाँछें
जोड़-तोड़ की कुटिल साधना सफल हो गई
नफरत की चिनगारी भड़की
और अचानक ज्वाला बनकर फैल गई सारी बस्ती में
धू-धू कर जल उठे खेत-खलिहान-गाँव-घर
राजा का सपना है सब कुछ स्वाहा हो ले
फिर कायम हो एक राज्य निर्विघ्न-निरंकुश

यह शरीर कुरुक्षेत्र है

यह शरीर कुरुक्षेत्र है
यहाँ निरन्तर चल रहा है
अच्छाई-बुराई का युद्ध

यह शरीर प्रयोगशाला है
यहाँ लगातार चल रही है
सत्-असत् की परख

यह शरीर अँधेरी कोठरी है
यहाँ दिन-रात लग रही है
सदाचार और दुराचार की बाजी

यह शरीर न्यायालय है
यहाँ सच और झूठ
एक दूसरे को हराने में लगे हैं

यह शरीर ब्रह्मांड है
जहाँ पाप-पुण्य
ईर्ष्या-प्रेम
ज्ञान-अज्ञान
जीवन-मृत्यु
प्रकाश-अंधकार
पूरी शक्ति से टकरा रहे हैं

हमारा अन्तर्मन श्रीकृष्ण है
वह जिधर जायेगा
जीत उसी की होगी

कौन है वह

चतुर-चंचल चाँदनी से
पूछ अपनी राह
पवन पागल
आज आधी रात
ढूँढता सा है किसी को
वारि में
वन में
पुलिन पर
व्योम में
कौन है वह
कर रही
चुपचाप
प्रिय से घात??

धरती वाले मिट जायेंगे

यक्ष ने युधिष्ठिर से पूछा
संसार में सबसे बड़ा आश्चर्य क्या है
उत्तर मिला–
मनुष्य जानता है उसकी मृत्यु निश्चित है
फिर भी अमरता के सपने देखता है
यक्ष प्रश्न आज भी वही है लेकिन उत्तर ठीक उल्टा
मनुष्य जानता है कि वह दीर्घजीवी हो सकता है
लेकिन वह स्वयं ही
जल्द से जल्द मिटने पर उतारू है
जंगल उजाड़ दिये
वीरान हैं पहाड़
हवाओं में घुला जहर
मुँह मोड़ रहे बादल
रूठीं ओस की बूँदें
मैला ढो-ढो कर टूट गईं नदियाँ
यह बेकाबू जनसंख्या
इतने घर, एसी, कारें...
चिमनियों का मस्तक तना है
मशीनें कर रहीं अट्टहास
धरती को मिटा कर रहेंगी ये
और उससे पहले धरती वाले मिट जायेंगे

वायु दानव

कब तक रहोगे वातानुकूलित घर में
बाहर निकलते ही झुलस जाओगे
तुम्हारा अत्याचार
अब तक आम जनता सहती थी
अब तुम स्वयं भी सहोगे
सोचो, इन्हें कितना सताया
इनके हिस्से का अन्न-जल
खेत-खलिहान
नदी-सागर और जंगल
सब हड़प लिया
लेकिन हवा पर आकर बात अड़ गई है
इनके हिस्से की प्राणवायु भी तुमने खूब सोखी
बन गये वायु दानव
तुम्हारे प्रतिष्ठान उगलते रहे जहर
इन्हें तो अभ्यास है विष पीने का
तुम्हारे कमजोर फेफड़े नहीं सह पायेंगे प्रदूषण का कहर
तुम्हारा दम पहले घुटेगा

हमारे मिटने के बाद

धरती पर आयेगा अन्तरिक्ष यान
किसी अनजान ग्रह से
दरवाजा खुलेगा
उतरेंगे कुछ प्राणी
कवच में बंद
जो बचायेगा उन्हें तीक्ष्ण ताप से
चकित होकर देखेंगे
आसपास का दृश्य
जीव-जन्तु नहीं होंगे
नहीं होंगे हम-आप
नहीं होंगे पुजारी, पादरी, मौलवी, नेता और पूँजीपति
हरियाली की जगह
दिखेगा कोयला और राख
सूखी नदियाँ बतायेंगी
कभी उनमें बहता था जीवन जल
यान वहाँ से उड़कर
एक महानगर के पास उतरेगा
दिखेंगे मानव सभ्यता के अवशेष
चिमनियाँ अकड़कर खड़ी होंगी
चिर विश्राम की मुद्रा में रहेंगी दैत्याकार मशीनें
बाहर शिलापट पर खुदा होगा उद्योगपति का नाम
वे उसे पढ़ने का प्रयास करेंगे
चित्र खींचेंगे

कुछ दूरी पर नजर आयेंगे
बदरंग झाँय-झाँय करते गगनचुम्बी भवन
वे आपस में बात करेंगे
यहाँ अवश्य रहा होगा कभी जीवन
अत्यंत विकसित और विवेकशील
...फिर कैसे मिट गया सबकुछ एक साथ?
इकठ्ठा करेंगे पत्थर, ईंट, मिट्टी, राख और धातु के टुकड़े
अभियान पूरा कर उड़ जायेगा यान
फिर आएगा दूसरा, तीसरा
और सदियों तक चलता रहेगा
यह सिलसिला

तीन बेटे

देवी प्रसाद का वर्तमान
ऐश्वर्य का पर्याय
अतीत इतना दु:खद कि रोते-रोते आँसू सूख जायें
तीन बेटे थे
बड़ा सबसे लायक, प्रखर, प्रतिभाशाली
देखते ही चौड़ी हो जाती पिता की छाती
पढ़ाई में हमेशा अव्वल
परन्तु कम्पटीशन में दो बार पिछड़ा तो जान दे दी
दूसरा मध्यम, मुँहफट
बहुत हाथ-पैर मारे
सरकारी नौकरी नहीं मिली
आजकल पत्रकार है
...और तीसरा निकम्मा-नालायक
दसवीं में तीन बार लटका
बारह में चार बार
पढ़ाई को लात मार दी
लूट, हत्या, दुराचार
हर जघन्य अपराध में उसका नाम
मीडिया ने हाथों-हाथ लिया
सुर्खियों में छा गया वह
बड़े-बड़े जलने लगे
इतनी सारी ख़ूबियाँ एक साथ!!
एक राजनीतिक दल ने गले लगाया

चुनाव लड़ाकर मन्त्री बनाया
जो आँखें चुभती थीं सवाल बनकर
अब याचना करने लगीं
कल जो दुष्कर्म था वही आज लीला है
देवी प्रसाद गदगद
इतना रसूख! इतनी धमक!!
अफसोस सिर्फ एक
काश दूसरे बेटे भी इसी तरह होते
नालायक-निकम्मे

शुभ्रवसना

पश्चिमी घाट पर्वत के शिखर पर
गम्भीर मुद्रा में बैठी
शुभ्रवसना रजनी
पछुआ पवन के मंद झोंके से
उसके पट का एक छोर
निरन्तर लहरा रहा है
वासना की आग में जलता
पैंसठ वर्षीय युवक
सात सितारा होटल के झरोखे से
शुभ्र पट का एक कोना पकड़कर
अपनी तरफ खींचता है
सामने राजपथ के शिलाखंड पर
काँपती पच्चीस वर्षीय वृद्धा
उसी पट का दूसरा कोना पकड़कर
माँगती है बच्चे के लिए रोटियाँ

क्या सब कुछ सच है

कभी-कभी
मैं जो कुछ देखता हूँ
सपना लगता है
यह अपार भीड़
सगे-संबंधी
घर-आँगन-चौबारे
धरती-चाँद-सितारे
प्रकृति का यौवन, रूप निखार
व्योम का अंतहीन विस्तार
क्या सब कुछ सच है?
...और मेरा अपना अस्तित्व?
विचित्र प्रश्न है
आकुल मन
हर बात के सत्यापन के लिए
तड़पता है

पेड़ और नदी

मैं नदी तट का अभागा पेड़
काँपता थर-थर
विवर्ण उदास
देखता हूँ रेत में सिमटी-सिसकती धार
रुग्ण-आभाहीन
अति मैली- कुचैली
पाप मानव का
सदा ढोती रही यह
घिस गये कन्धे
दबी है बोझ से
सड़ चुके शव नोचती है चील
जूझते मैदान में हर ओर कुत्ते-गिद्ध
हड्डियों पर बज रहे नख-दन्त
मैं दु:खी हूँ
किन्तु यह गुस्ताख़ ठेकेदार
रूँधकर धारा नदी की
हँस रहा है!!!

प्रमुख ग़ज़लें और नज़्में

नज़ारों की बात करते हैं

नज़र नहीं है नज़ारों की बात करते हैं
ज़मीं पे चाँद-सितारों की बात करते हैं

वो हाथ जोड़कर बस्ती को लूटने वाले
भरी सभा में सुधारों की बात करते हैं

बड़ा हसीन है उनकी ज़बान का जादू
लगा के आग बहारों की बात करते हैं

मिली कमान तो अटकी नज़र ख़ज़ाने पर
नदी सुखा के किनारों की बात करते हैं

वही गरीब बनाते हैं आम लोगों को
वही नसीब के मारों की बात करते हैं

वतन का क्या है, इसे टूटने-बिखरने दो
वो बुतकदों की, मज़ारों की बात करते हैं

तुझे लोग गुनगुनाएँगे

किसी किताब में सिमटी हुई ग़ज़ल की तरह
न घर में बैठ तुझे लोग गुनगुनाएँगे

तू इन्क़लाब है किस्मत संवार सकती है
ये जंगबाज़ तेरी पालकी उठाएँगे

ये तेरी उम्र, तेरा जोश, ये तेरे तेवर
बुझे दिलों में नया ज़लज़ला जगाएँगे

फटी ज़मीन तो शोले उठेंगे सागर से
कहाँ तलक वो तेरा हौसला दबाएँगे

झुका-झुका के कमर तोड़ दी गई जिनकी
वो आज मिलके ज़माने का सिर झुकाएँगे

ज़ंग करते हुए नग़मे

ये उबलते हुए जज़्बात कहाँ ले जाएँ
जंग करते हुए नग़मात कहाँ ले जाएँ

रोज़ आते हैं नये सब्ज़बाग आँखों में
ये सियासत के तिलिस्मात कहाँ ले जाएँ

अमीर मुल्क की मुफ़लिस जमात से पूछो
उसके हिस्से की घनी रात कहाँ ले जाएँ

हम गुनहगार हैं हमने तुम्हें चुना रहबर
अब ज़माने के सवालात कहाँ ले जाएँ

सारी दुनिया के लिए माँग लें दुआ लेकिन
घर के उलझे हुए हालात कहाँ ले जाएँ

अक्स अपना देखिए

ज़िन्दगी के आईने में अक्स अपना देखिए
उम्र के सैलाब का चढ़ना-उतरना देखिए

बालपन का वो मचलना, वो छिटकना गोद से
हर अदा पे माँ की आँखों का चमकना देखिए

वो जवानी की मोहब्बत, वो पढ़ाई का बुखार
ख़्वाहिशों का ख़्वाहिशों के साथ लड़ना देखिए

मंज़िलों की खोज में लुटता रहा जी का सुकून
इक मुक़म्मल शख़्स का तिल-तिल बिखरना देखिए

अब बुढ़ापा ले रहा है ज़िन्दगी भर का हिसाब
वक़्त का चुपचाप मुट्ठी से सरकना देखिए

रास्ता ख़त्म ही नहीं होता

आके मंज़िल पे हमने ये जाना
रास्ता ख़त्म ही नहीं होता

लाख अरमान, लाख उम्मीदें
सिलसिला ख़त्म ही नहीं होता

बाद मरने के भी कहाँ-कैसा
सोचना ख़त्म ही नहीं होता

जानो-तन में बसा है वो लेकिन
फासला ख़त्म ही नहीं होता

कितने तूफां उठे हैं राहों में
हौसला ख़त्म ही नहीं होता

आज मुफ़लिस निकल पड़े घर से
कारवां ख़त्म ही नहीं होता

कड़ी हो धूप तो

कड़ी हो धूप तो खिल जाएँ गुलमोहर की तरह
सियाह रात में मिल जाएँ हम सहर की तरह

जो एक बात घुमड़ती रही घटा बनकर
उसे उतार दें धरती पे समन्दर की तरह

कदम बढ़ें तो नये रास्ते निकलते हैं
न घर में बैठिए बेकार-बेख़बर की तरह

वो रास्ता ही सही मायने में मंज़िल है
जहाँ रक़ीब भी चलते हैं हमसफ़र की तरह

कोई तो बात उठे

रुला-रुला के गए दोस्त हँसाने वाले
लगा के आग गए आग बुझाने वाले

थी आरज़ू कि कभी हम भी पार उतरेंगे
डुबो के नाव गए पार लगाने वाले

करें तो कैसे करें राज़फ़ाश क़ातिल का
पड़े सुकूं से सभी जान गँवाने वाले

कोई तो बात उठे दूर तलक जो जाए
यहाँ जमा हैं फ़क़त शोर मचाने वाले

तन्हाइयों में रोते हैं

आप कुछ यूँ उदास होते हैं
रेत में कश्तियाँ डुबोते हैं

ख़ुद पे इतना भी ए'तबार नहीं
गैर की गलतियाँ सँजोते हैं

लोग क्यूँ आरज़ू में जन्नत की
ज़िन्दगी का सुकून खोते हैं

जब से मज़हब में आ गए काँटे
हम मोहब्बत के फूल बोते हैं

बज़्म के कहकहे बताते हैं
आप तन्हाइयों में रोते हैं

वार करना आ गया है

अदब से सिर झुकाए जो खड़े थे
उन्हें भी वार करना आ गया है

समेटो ज़ालिमो दूकान अपनी
उन्हें व्यापार करना आ गया है

दिलों में फड़फड़ाती आरज़ू का
उन्हें इज़हार करना आ गया है

तुम्हारी बात पर जो मर-मिटे थे
उन्हें इनकार करना आ गया है

अपने वक़्त पर अपनी ज़मीं पर
उन्हें अधिकार करना आ गया है

बग़ावत की दास्तान

इश्क़ का दर्द जाम के किस्से
वो ग़ज़ल है गए ज़माने की
वत्स आवाज़ आम जनता की
बात इसकी नए ज़माने की

ये दास्ताने-बग़ावत है सुन सको तो सुनो
तुम्हीं से उनकी अदावत है सुन सको तो सुनो

सियाह रात में सपने जवां हुए उनके
तुम्हें तो जश्न की आदत है सुन सको तो सुनो

जला है गाँव जले साथ अनछुए अरमां
पता है किसकी शरारत है सुन सको तो सुनो

लुटे-पिटे हैं मगर हौसले उबलते हैं
दिलों में आग सलामत है सुन सको तो सुनो

ये बाढ़ खुद ही नए रास्ते बना लेगी
तुम्हारे सिर पे क़यामत है सुन सको तो सुनो

मनाओ ख़ैर अभी और कुछ नहीं बिगड़ा
उठा लो जो भी शिकायत है सुन सको तो सुनो

हवा के ख़िलाफ़

दिल लगाना न दिल्लगी के लिए
ये इबादत है ज़िन्दगी के लिए

इश्क़ दाना है, इश्क़ पानी है
इश्क़ साया है आदमी के लिए

ये किसी एक का नहीं यारो
ये इनायत है हर किसी के लिए

मेरा हर लफ्ज़ है अमन के लिए
मेरी हर साँस बंदगी के लिए

मैं हवा के ख़िलाफ़ चलता हूँ
सिर्फ इंसान की खुशी के लिए

उनका ए'तबार करें

हम उनसे प्यार करें उनका इंतज़ार करें
मगर वो जब भी मिलें हमको बेक़रार करें

समझ सके न उन्हें दोस्त हैं कि दुश्मन हैं
चला के तीरे-नज़र दिल के आर-पार करें

ये इश्क़ है कि नए दौर की सियासत है
गले लगा के हमें वो जिगर पे वार करें

अजीब शर्त यहाँ आशिक़ी निभाने की
वो लाख झूठ कहें उनका ए'तबार करें

हमें भी फूल चढ़ायेंगे उनका वादा है
अगर हम उनके लिए जिस्मो-जाँ निसार करें

ज़मीन पर लाओ

लोग यूँ बेज़बान होते हैं
दर्द पीकर जवान होते हैं

क्यूँ निगाहों में ख़्वाब के बदले
बेबसी के निशान होते हैं

हैं ये बेजान नींव की ईंटें
हाँ इन्हीं से मकान होते हैं

ये दिखाती हैं खिसकने का हुनर
जब कभी इम्तिहान होते हैं

चाँद-तारों की बात मत छेड़ो
वो ख़यालों की शान होते हैं

अब उन्हें इस ज़मीन पर लाओ
जो सरे-आसमान होते हैं

कौन अपना है

कौन अपना है किसी से क्यों गिला रखिए
खुद तलक पाबन्द अपना फैसला रखिए

लोग सुनकर मुस्कराएंगे खिसक लेंगे
कैद सीने में ग़मों का ज़लज़ला रखिए

आप दिल से काम लेते हैं क़यामत है
ज़ख्मो-ज़िल्लत झेलने का हौसला रखिए

टूटना, गिरना, बिखरना और क्या होना
किसलिए जारी वफ़ा का सिलसिला रखिए

यूँ न मिलिए प्यास मिलने की फ़ना हो जाय
दोस्त हर रिश्ते में थोड़ा फासला रखिए

क़ातिल की हुकूमत है

(रचनावर्ष–1989)

क़ातिल की हुकूमत है क़ातिल की अदालत है
फरियाद करें किससे हर ओर क़यामत है

आकाश के पिंजरे में बाँधा है परिंदों को
कहने को अभी इनकी परवाज़ की हालत है

बादल भी बरसते हैं सूरज भी दहकता है
बारिश तो नहीं है ये मौसम की शरारत है

एहसान रक़ीबों का रिश्ता तो निभाते हैं
चाहत से भली यारो दुश्मन की अदावत है

बसता है उजड़ता है जुड़ता है बिखरता है
एहसास मेरे दिल का लोगों की तिजारत है

रचना वर्ष 2011

चराग़ों से धुआँ उठता है

दिल का हर दर्द भला कैसे सँभाला जाए
अब नहीं और ये उम्मीद पे टाला जाए

अब तो हर रात चराग़ों से धुआँ उठता है
सर्द-बेज़ार धुआँ लौ में न ढाला जाए

सुर्ख नज़रों का बयां इनकी ज़बानी सुनिए
इनका हर हाल न लफ़्ज़ों में निकाला जाए

खून इंसान का पीकर जो इश्क़ ज़िन्दा है
ऐसे शैतान को किस गाँव में पाला जाए

अब तो हर साल नहीं, रोज़ जलाकर होली
इश्क़ का मारा हुआ आग में डाला जाए

इंतज़ार कौन करे

सुबह से शाम तलक इंतज़ार कौन करे
तुम्हारे वादे पे अब ए'तबार कौन करे

सियासी रंग में ढलने लगी मोहब्बत भी
फिर ऐसी शै पे दिलो-जाँ निसार कौन करे

जिसे तलाश हमारी उसे तलाश करें
बड़ों के साथ बड़ा कारबार कौन करे

सजा किये की अभी तक भुगत रहे हैं हम
पुरानी भूल भला बार-बार कौन करे

वो रहनुमा है उसे हक है जालसाज़ी का
जो जल रहे हैं उन्हें शर्मसार कौन करे

आप बस आप

आप बस आप ख़बर आपकी हज़ारों को
आपने दी है ज़बां बेज़बां नज़ारों को

शोख़ परदे में कभी और कभी बेपरदा
कौन समझाए हमें इन जवां इशारों को

आपके गाँव में जलते हैं सभी इन्सां से
हाँ सजाते हैं दिलो-जान से मज़ारों को

बेवजह गैर से इन्साफ़ किसलिए माँगें
जबकि उठना है जहाँ से वफ़ा के मारों को

चमन में आज भड़कते हैं हर तरफ शोले
क्या बचाएगा कोई आग से बहारों को

फूल है न ख़ुशबू है

ये क्या दयार जहाँ फूल है न ख़ुशबू है
कदम-कदम पे फ़कत पत्थरों का जादू है

भरा है काला धुआँ आसमान की हद तक
अजीब ख़ौफ़-ए-क़यामत जहाँ में हर सू है

ये आदमी की तरक्की की इंतिहा तो नहीं
ज़मीं बदलने लगी बार-बार पहलू है

हम तुम्हारे हैं गुनहगार ऐ नई नस्लो
नहीं जुनूने तबाही पे ख़ुद का काबू है

हर लहर किनारा है

दिल जरा संभल जाओ वक़्त का इशारा है
आशिक़ी का मौसम है इश्क़ का नज़ारा है

भीनी-भीनी खामोशी, मीठी-मीठी तन्हाई
बज़्म में जिसे देखो बेख़ुदी का मारा है

हुस्न की नुमाइश है इसलिए सितारों ने
बेलिबास चंदा को झ़ील में उतारा है

फैसला करें कैसे कौन किसपे भारी है
वो जिसे मोहब्बत ने दर्द से निखारा है

जिस हसीन लम्हे का इंतज़ार था हमको
आज वो हसीं लम्हा ख़ुद-ब-ख़ुद हमारा है

क्या हुआ अगर हमको तैरना नहीं आता
प्यार के समंदर में हर लहर किनारा है

ये सरज़मीं क्या है

कदम-कदम पे ज़लालत ये सरज़मीं क्या है
जगी है मौत की चाहत ये सरज़मीं क्या है

तड़प रहा है सुकूं कोई मुड़के देखे तो
मची है जंगे-तिजारत ये सरज़मीं क्या है

जो राहज़न थे वही कर रहे हैं रखवाली
उन्हीं से उनकी शिकायत ये सरज़मीं क्या है

इधर है भूख, उधर जाम है जवानी है
उड़े ग़रीब की दौलत ये सरजमीं क्या है

एक ग़ज़ल ऐसी हो

एक ग़ज़ल ऐसी हो जिससे दुनिया में हलचल हो जाये
सागर सारे बाँध तोड़ दे, जर्रा-जर्रा जल हो जाये

हमने जिसको ताकत सौंपी, जिसने हमें निचोड़ा अब तक
वह नेता बह जाय बाढ़ में, पाक-साफ भूतल हो जाये

खेल ख़त्म हो जात-पाँत का, टूट जाय मज़हब की कारा
थमे दौर यह मार-काट का, जीवन जरा सरल हो जाये

भांडा फूटे छल-प्रपंच का, ढहे क्रूर सोने की लंका
नए सिरे से बसें बस्तियाँ, हर घर में मंगल हो जाये

आप दिल में उतर गए कैसे

आप दिल में उतर गए कैसे
आँख से रास्ता नहीं पूछा

दर्द देते रहे दुआ लेकर
क्या रहा वास्ता नहीं पूछा

दोस्ती है कि दुश्मनी है ये
लाग है या वफ़ा नहीं पूछा

आपका घर तलाशने निकला
मैंने किससे पता नहीं पूछा

माँग लो जान या जिगर जानम
जो भी माँगा दिया नहीं पूछा

अपना सब कुछ लुटा दिया मैंने
आपने क्या किया नहीं पूछा

फिर भी डूब जाना है

बेज़बान दिल मेरा दर्द का खज़ाना है
दर्द है हँसी मेरी दर्द मुस्कराना है

अश्क़ के समंदर में डूबना नहीं अच्छा
तैरने की कोशिश में फिर भी डूब जाना है

ज़िन्दगी का हर लम्हा इक हसीन धोखा है
इस हसीन धोखे में गुमशुदा ज़माना है

ग़लतियाँ न करते हम तो ख़ुदा कहे जाते
ग़लतियों से इन्सां का वास्ता पुराना है

तुम जिसे समझते हो इश्तिहार नफ़रत का
गौर से पढ़ो इसको प्यार का तराना है

गम से यूँ इंतक़ाम लेते हैं

गम से यूँ इंतक़ाम लेते हैं
हर घड़ी तेरा नाम लेते हैं

चाँद से, अब्र से, हवाओं से
रोज तेरा पयाम लेते हैं

तू सलामत रहे तेरी खातिर
हम ख़ुदा का सलाम लेते हैं

तू हकीक़त नहीं तो ख़्वाब सही
तुझको पलकों में थाम लेते हैं

वतन की ख़ाक

वतन की ख़ाक हमें ज़िन्दगी से प्यारी है
अभी तो राह है अब मंज़िलों की बारी है

जो हँस के जान लुटाते हैं अपनी माटी पर
उन्हें सलाम ये महफ़िल उन्हीं पे वारी है

हमारी साँस पे पहरा लगा के जो खुश थे
उन्हीं की साँस पे अब अपनी पहरेदारी है

वतन की आन पे हम अपना सिर कटा देंगे
जुनूं हमारा सभी दुश्मनों पे भारी है

कदम बढ़ाओ नयी रोशनी बुलाती है
ये रोशनी ये शमा सर-ब-सर हमारी है

सपनों का संसार

चाँद-सितारे, पर्वत-सागर, बादल और बहार
कौन बनाता है यह सुन्दर सपनों का संसार

सूरज रोज सुबह जग को जीवन की राह दिखाये
पवन कली का घूँघट खोले पंछी गीत सुनाये

बरखा, बिजली, जंगल, दरिया, खुशबू और बयार
कौन बनाता है यह सुन्दर सपनों का संसार

ये दुनिया है प्यारी देखो घर से जरा निकल के
अगर नमी है आँखों में तो सपने भी हैं कल के

सबकी यही तमन्ना जी लें जग में साल हजार
कौन बनाता है यह सुन्दर सपनों का संसार

जानता हूँ कि बेवफ़ा है तू

जानता हूँ कि बेवफ़ा है तू क्यों तेरा इंतजार रहता है
एक खुदगर्ज़ हमसफ़र के लिए दिल मेरा बेकरार रहता है

दिल की बातें तुझे सुना तो दूँ
डर है की तू लौट के न आएगा
जब तलक जोर है दबाऊँगा मन में जो भी गुबार रहता है

गम हो चाहे ख़ुशी हो फ़र्क़ नहीं
हँस के रोता है रोके हँसता है
मेरे दिल में नए ज़माने का एक नग़मा-निगार रहता है

दोस्ती है कि दुश्मनी है ये
सिर्फ इतना मुझे बता दे तू
दुश्मनों पे जरा ज़ियादा ही आजकल ए'तबार रहता है

मैं कुछ करूँ न करूँ

मैं कुछ करूँ न करूँ, तेरा इंतज़ार करूँ
तेरी वफ़ा पे सनम अपनी जां निसार करूँ

ये कैसा दर्द है ये कैसी बेक़रारी है
इसी ने आज मेरी ज़िन्दगी सँवारी है
तेरे सिवा मैं भला किसपे ए'तबार करूँ

हसीन ख़्वाब उदासी में रंग भरते हैं
तेरी हंसी से सितारों के फूल झरते हैं
है आरज़ू कि तुम्हें प्यार बार-बार करूँ

बस एक रात क़यामत की रात हो जाये
मिले निगाह इशारों में बात हो जाये
मैं उस अज़ीम इनायत को यादगार करूँ

रोना-रुलाना नहीं

आज है कल रहे न रहे ज़िन्दगी का ठिकाना नहीं
ये सफ़र है ख़ुशी का सफ़र यूँ ही रोना-रुलाना नहीं

ज़िन्दगी है नशा ज़िन्दगी प्यार है
मौत भी कम नहीं मौत दिलदार है
आखिरी आसरा है वही
आज है कल रहे न रहे ज़िन्दगी का ठिकाना नहीं
ये सफ़र है ख़ुशी का सफ़र यूँ ही रोना-रुलाना नहीं

है हकीकत यही ये नहीं दिल्लगी
ज़िन्दगी मौत है मौत है ज़िन्दगी
साथ इनका न छूटा कभी
आज है कल रहे न रहे ज़िन्दगी का ठिकाना नहीं
ये सफ़र है ख़ुशी का सफ़र यूँ ही रोना रुलाना नहीं

गम मिले या ख़ुशी मुस्कराते रहो
प्यार करते रहो गीत गाते रहो
इक निशानी बचेगी यही
आज है कल रहे ना रहे ज़िन्दगी का ठिकाना नहीं
ये सफ़र है ख़ुशी का सफ़र यूँ ही रोना रुलाना नहीं

ज़िन्दगी का क्या ठिकाना

ज़िन्दगी का क्या ठिकाना
कब पड़े किस राह जाना
हो सके तो बाँट लो
प्यार के दो-चार पल

हो दिलों में प्यार तो दुनिया सुहानी है
है गुलों में रंग दरिया में रवानी है
प्यार का प्यासा जमाना
कब पड़े किस राह जाना
हो सके तो बाँट लो
प्यार के दो-चार पल

झील की खामोशियाँ आवाज़ देती हैं
वादियाँ उम्मीद को परवाज़ देती हैं
सीख लो सपने सजाना
कब पड़े किस राह जाना
हो सके तो बाँट लो
प्यार के दो-चार पल

गम मिले चाहे ख़ुशी सब वक़्त का फेरा
किसलिए गहरी उदासी ने तुम्हें घेरा
छोड़ दो रोना-रुलाना
कब पड़े किस राह जाना
हो सके तो बाँट लो
प्यार के दो-चार पल

जहाँ राख का ढेर लगा है

जहाँ राख का ढेर लगा है कभी प्यार की बस्ती थी
यहाँ बसी थी खुशी ईद की यहाँ फाग की मस्ती थी

सबके घर में अमन-चैन था सबके थे परिवार सुखी
सबके अपने तौर-तरीके सबकी अपनी हस्ती थी

नफ़रत भारी पड़ी एक दिन ज्वाला बनकर टूट पड़ी
इंसानों की जान चुनावी राजनीति से सस्ती थी

अपनी सत्ता अपनी कुर्सी अपने रुतबे की खातिर
वोटर को ही मार दिया यह कैसी वोटपरस्ती थी

अबकी गाँव गया तो मैंने यह अजीब मंज़र देखा
नेता जीता मगर वोटरों की आँखों में पस्ती थी

कितने कुनबे और जलेंगे कितने सपने होंगे ख़ाक
इसी खौफ में बची हुई माँओं की आँख बरसती थी

सालाना बजट

आज ख़ज़ाने के मन्त्री को अपना हुनर दिखाना है
चारा जो चुग रहे परिन्दे उन पर टैक्स लगाना है

आलू अस्सी, प्याज पचासी, दाल पहुँच से दूर हुई
कौन बताये कैसे-कैसे घर का खर्च चलाना है

कितनी रोटी खायी, कितनी बार हुए फ़ाक़े घर में
अब रिटर्न में यह हिसाब भी खुलकर हमें बताना है

कर्ज़ चढ़ा है सिर पे जब से बूढ़ी माँ बीमार हुई
महँगे डॉक्टर और दवाएँ, मुश्किल उसे बचाना है

मन्त्री जी ने अरबों लूटे, उसकी कोई पूछ नहीं
हम गरीब बाबू हैं, हमको अपना फ़र्ज़ निभाना है

जात-पाँत में हमें बाँटकर नेता जी मदमस्त हुए
यही काम अब उनके जिम्मे, किसे-कहाँ निपटाना है

महँगाई का असली मुद्दा दंगों में दब गया कहीं
नए पैंतरों के बल पर आसान ताज हथियाना है

सौ दिये जलाता है

रेशमी घटाओं में चाँद मुस्कराता है
नर्म-नर्म ख़्वाबों को नींद से जगाता है

चाँदनी सँवरती है आसमाँ के आँगन में
सर्द झील का पानी आईना दिखाता है

मनचली हवाओं से पूछता है सन्नाटा
कौन आज जंगल में बाँसुरी बजाता है

शोख़ रातरानी यूँ झूमती है शाखों में
जैसे कोई दिलवर को बाँह में झुलाता है

यूँ मना रहा कोई आसमाँ में दीवाली
इक दिया बुझाता है सौ दिये जलाता है

❑❑